Fun learning French

Apprendre l'anglais en s'amusant

Chantecler

Printed in Belgium.
D-MCMLXXXVII-0001-27

Introduction

Apprendre une langue étrangère à l'aide de textes captivants et amusants est facile. C'est pourquoi l'histoire racontée dans ce livre est divisée en treize textes courts. Vous en trouverez un par page.
Chaque texte anglais est accompagné par sa traduction littérale en français. Les mots nouveaux ou difficiles sont repris dans le lexique au bas de la page. Ces mots sont classés dans l'ordre dans lequel ils apparaissent dans le texte.
A la fin du livre, vous trouverez un certain nombre de questions concernant les textes ou les illustrations. Elles stimulent l'enfant à s'exprimer spontanément en anglais et à former des phrases lui-même.
Par cette combinaison de la lecture et de la conversation, votre enfant apprendra rapidement à s'exprimer en anglais.

Introduction

Light-hearted and amusing texts make learning a foreign language more fun. For this reason, the storyline of this book is divided into thirteen short sections, one per page.
Each French text is accompanied by a literal translation into English. New or difficult words are given in the order in which they appear, in a box at the bottom of the page. Only the relevant meaning of each word is given to avoid any possible confusion. The gender of the words is indicated by the letters "m" (masculine) or "f" (feminine) after each word.
A few questions on each piece of text and its accompanying pictures are given in the final section. They act as a stimulus for spontaneous expression and encourage the child to make up sentences for himself.
This combination of reading and conversation will assist the pupil to learn how to speak French very quickly.

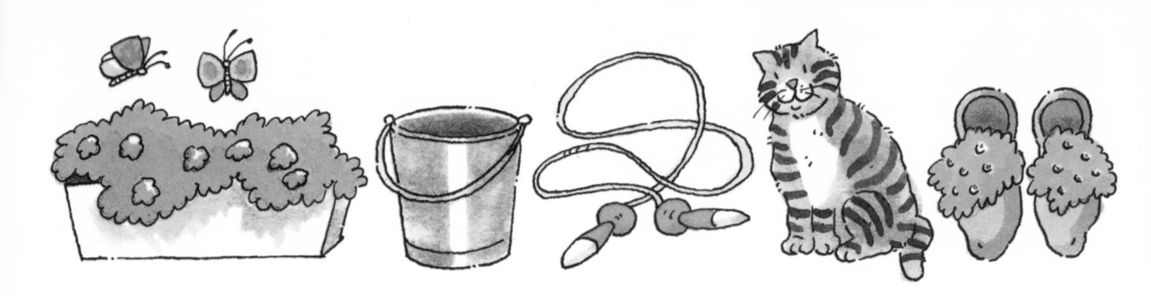

Anne est devant la ferme. Elle regarde la route avec impatience. Tout à l'heure son père va revenir. Avec Didier. Didier est son cousin. Il n'est pas très fort et il est souvent malade. C'est pour cette raison que maman a dit: "Didier doit vivre quelques mois avec nous. L'air de la campagne va lui faire du bien."
Anne n'a jamais vu Didier. Il habite un appartement au centre d'une grande ville. C'est loin du petit village d'Anne. La jeune fille est curieuse: comment Didier est-il? Il doit être grand, il a déjà treize ans. Il a donc deux ans de plus qu'elle. En tout cas, cela sera amusant d'avoir un ami qui vit dans la même maison. Voici les phares de la voiture. Tuut! Tuut! Papa klaxonne pour dire: "Nous voilà!"

Anne is in front of the farm. She is watching the road impatiently. Her father is due to return presently. With Didier. Didier is her cousin. He is not very strong and is often ill. That is why Mum said, "Didier must come and live with us for a few months. The country air will do him good."
Anne has never seen Didier. He lives in a flat in the centre of a large town. It is a long way from Anne's small village. The young girl is curious: what is Didier like? He must be tall, he's thirteen years old. He is therefore two years older than her. In any case, it will be fun to have a friend living in the same house. Here are the car lights. Toot! Toot! Dad hoots to say, "Here we are!"

Vocabulaire - Vocabulary

devant	in front of
ferme (f.)	farm
regarder	to look at
avec impatience	impatiently
tout à l'heure	presently
revenir	to return
cousin (m.)	cousin
fort	strong
souvent	often
malade	ill
c'est pour ça	that is why
vivre	to live
mois (m.)	month
air (m.)	air
campagne (f.)	country
faire du bien	to do good
jamais	never
habiter	to live
appartement (m.)	flat
ville (f.)	town
loin	far
village (m.)	village
curieux	curious
donc	therefore
en tout cas	in any case
phare (m.)	light
klaxonner	to hoot
*annoncer**	to announce*
*souvent**	often*

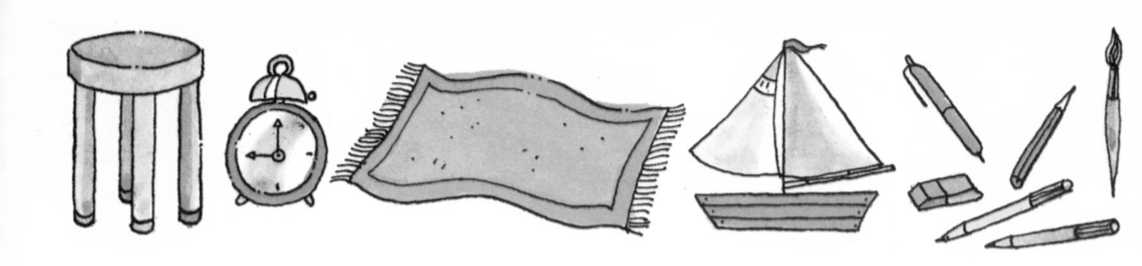

La voiture s'arrête devant la ferme. Un garçon maigre descend. Il passe nerveusement sa main dans ses cheveux. Anne est déçue: ce garçon timide, c'est Didier? Il n'a pas l'air costaud. La mère d'Anne arrive. Elle embrasse Didier et le présente à sa fille: "Voici Anne, Didier. Anne, montre à Didier la chambre que nous avons préparée pour lui." Anne prend son cousin par la main. Elle est très fière de cette chambre. C'est une grande chambre. Il y a un tapis rose par terre. Les meubles sont peints en beige et au mur, il y a une photo d'un chien en couleurs. Ce chien ressemble au chien de Didier. Didier est très surpris. "C'est pour moi?" Il est si heureux qu'il pleure presque. Mais sa cousine lui pose mille et une questions. Quelle bavarde!

The car stops in front of the farm. A thin boy gets out. He runs his hand through his hair nervously. Anne is disappointed: is this shy boy Didier? He doesn't seem strong. Anne's mother comes in. She hugs Didier and introduces him to her daughter, "This is Anne, Didier. Anne, show Didier the room which we have prepared for him." Anne takes her cousin by the hand. She is very proud of this room. It is a large room. There is a pink carpet on the floor. The furniture is painted beige and there is a coloured photograph of a dog on the wall. This dog looks like Didier's dog. Didier is very surprised, "Is this for me?" He is so happy he almost cries. But his cousin is asking him a thousand and one questions. What a chatterbox!

Vocabulaire-Vocabulary

s'arrêter	to stop
ferme (f.)	farm
maigre	thin
descendre de la voiture	to get out of the car
passer sa main dans ses cheveux	to run his hand through his hair
déçu	disappointed
timide	shy
costaud	strong
arriver	to come in
embrasser	to hug
présenter	to introduce
fille (f.)	daughter
prendre par la main	to take by the hand
être fier de	to be proud of
peindre	to paint
ressembler à	to look like
surpris	surprised
pleurer	to cry
presque	almost
poser des questions	to ask questions
bavarde (f.)	chatterbox
*se sentir à l'aise**	to feel at ease*
*inventer**	to make up*
*tant de**	so many*

Le jour suivant, Anne se réveille tôt. Elle se lave vite et descend à la cuisine. Maman a déjà préparé le petit déjeuner. Anne dit: "Bonjour maman. Didier s'est déjà levé?" Maman sourit: "Non, il dort encore. Il est certainement fatigué du voyage." Anne répond: "Quel paresseux. Papa s'est déjà levé et il a fait le même voyage."
Maintenant maman ne sourit plus: "Ecoute Anne, Didier est un garçon très courageux." Anne veut protester mais maman continue: "Il a quitté ses parents et son chien et il ne va pas les revoir pendant un certain temps." Anne n'avait pas pensé à ça. Quitter maman et papa et Sophie, son chat aimé. Quelle horreur! Didier est très courageux. Anne va être très gentille avec lui.

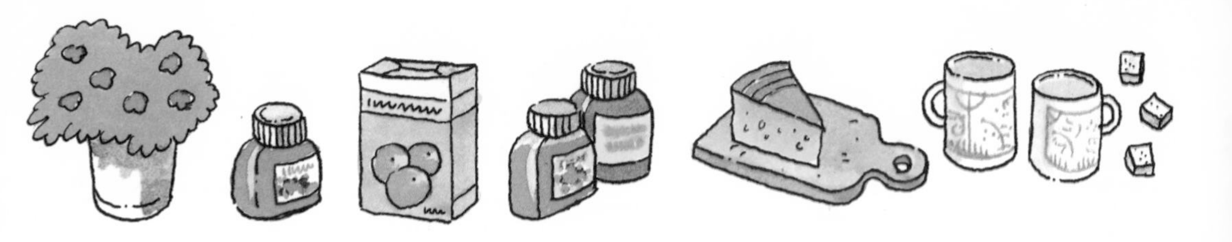

The following day, Anne wakes up early. She washes quickly and goes down to the kitchen. Mum has already made breakfast. Anne says, "Good morning, Mum. Is Didier up yet?" Mum smiles, "No, he is still asleep. He's undoubtedly tired from the journey." Anne replies, "What a lazy-bones. Dad is already up and he did the journey too." Mum is no longer smiling now, "Listen, Anne, Didier is a very brave boy." Anne wants to protest but Mum continues, "he has left his parents and his dog behind and will not see them again for a while." Anne did not think of that. To leave Mum and Dad and Sophie, her beloved cat. How awful! Didier is very brave. Anne will be very nice to him.

Vocabulaire - Vocabulary

suivant	following
se réveiller	to wake up
tôt	early
se laver	to wash
descendre	to go down
cuisine	kitchen
petit déjeuner (m.)	breakfast
se lever	to get up
sourire	to smile
dormir	to sleep
certainement	undoubtedly
fatigué	tired
voyage (m.)	journey
répondre	to reply
paresseux (m.)	lazy-bones
déjà	already
écouter	to listen
courageux	brave
protester	to protest
continuer	to continue
quitter	to leave
parent (m.)	parent
revoir	to see again
pendant un certain temps	for a while
aimé	beloved
quelle horreur	how awful
gentil	nice
*conseil (m.)**	advice*

Didier ouvre les yeux. Où est-il? Pourquoi son chien ne dort-il pas à ses pieds? Il ne reconnaît pas cette chambre. Ah oui, il se rappelle. Il est chez tante Hélène et oncle Marc. Didier a envie de pleurer. Il se dit sévèrement: "Non Didier, tu dois être courageux. Pense à ta cousine." Voilà, cela va mieux. Didier s'habille. Il va à la cuisine où sa tante l'attend. "Bonjour Didier," dit-elle, "tu as bien dormi? Le petit déjeuner est prêt. Que veux-tu boire? Du thé, du café ou du lait?" Didier prend du café au lait, avec deux morceaux de sucre. Sa tante lui demande: "Combien de tartines manges-tu? Trois? Quatre?" A la maison Didier mange seulement une demi-tartine. Il rit donc: "C'est pour toute la journée, tante Hélène?"

Didier opens his eyes. Where is he? Why isn't his dog sleeping at his feet? He does not recognise this room. Oh yes, he remembers. He is at Aunt Helen and Uncle Mark's house. Didier wants to cry. He tells himself sternly, "No, Didier, you must be brave. Think of your cousin." There, that's better. Didier gets dressed. He goes to the kitchen where his Aunt is waiting for him. "Good morning, Didier," she says, "did you sleep well? Breakfast is ready. What would you like to drink? Tea, coffee or milk?" Didier has white coffee with two lumps of sugar. His Aunt asks, "How many pieces of bread and butter do you want? Three? Four?" At home Didier eats only half a piece. So he laughs, "Is that for the whole day, Aunt Helen?"

Vocabulaire - Vocabulary

ouvrir	open
pourquoi	why
pied (m.)	foot
reconnaître	to recognise
se rappeler	to remember
avoir envie de	to want to
pleurer	to cry
se dire	to tell oneself
sévèrement	sternly
devoir	must
courageux	brave
penser	to think
cousine (f.)	cousin
mieux	better
s'habiller	to get dressed
attendre	to wait for
prêt	ready
boire	to drink
café au lait (m.)	white coffee
morceau (m.)	lump
un morceau de sucre	a lump of sugar
tartine (f.)	piece of bread and butter
seulement	only
demi	half
rire	to laugh
donc	therefore
*installer dans**	to settle into*

Didier a fini son petit déjeuner. Qu'est-ce qu'il va faire maintenant? Il n'a pas le temps de réfléchir. Anne entre dans la cuisine en dansant. Ses yeux brillent. Elle crie à maman et à son cousin: "Devinez ce qui s'est passé! Sophie a des petits. Ils sont nés cette nuit." Sophie est le chat. Cela, Didier le sait déjà. Il est très excité et il se lève. Il n'a jamais vu de chaton. Sauf à la télévision. Mais un vrai chaton doit être un animal formidable. Les enfants courent vers l'étable. Là, dans un coin, Sophie lèche ses petits. Comme ils sont beaux! Ils ronronnent comme de vrais musiciens. Anne veut leur donner tous un nom. Elle décide: "Ce petit chat gris c'est Mozart et ce petit..."
"C'est Chopin" dit Didier.

Didier has finished his breakfast. What is he going to do now? He has no time to think about it. Anne comes dancing into the kitchen. Her eyes are shining. She shouts to her mother and her cousin, "Guess what has happened? Sophie has some babies. They were born during the night." Sophie is the cat. Didier knows that already. He is very excited and gets up. He has never seen a kitten. Except on the television. But a real kitten must be a wonderful animal. The children run to the cowshed. There, in a corner, Sophie is licking her babies. How beautiful they are! They purr like real musicians. Anne wants to give them each a name. She makes up her mind, "This little grey cat is Mozart and this little one..." "Is Chopin", says Didier.

Vocabulaire - Vocabulary

finir	to finish
faire	to do
temps (m.)	time
réfléchir	to think about
en dansant	dancing
cuisine (f.)	kitchen
yeux	eyes
briller	to shine
crier	to shout
deviner	to guess
se passer	to happen
petit (m.)	baby
naître	to be born
excité	excited
se lever	to get up
voir (vu)	to see (seen)
chaton (m.)	kitten
vrai	real
formidable	wonderful
courir	to run
étable (f.)	cowshed
coin (m.)	corner
lécher	to lick
ronronner	to purr
comme	like
musicien (m.)	musician
décider	to decide
donner un nom	to give a name
*s'intéresser à**	to be interested in*

Tous les jours les enfants vont à l'étable pour regarder Mozart et Chopin. Les chatons sont devenus très curieux. Ils jouent dans tous les coins de l'étable. C'est dangereux! S'ils ne font pas attention une vache peut les écraser ou ils peuvent se blesser. C'est pour cela que papa a dit: "Faites une cage pour les chatons." Didier et Anne commencent à travailler. Ils ont besoin de planches, de clous et d'outils. Les planches se trouvent derrière la maison. Didier va les chercher. Comme elles sont lourdes! Le garçon transpire. Il est fatigué. Il s'assied un moment. Anne l'attend. Ensemble, ils font une cage pour les chatons. C'est un travail difficile. Quand la cage est prête, Didier la couvre avec un pull. Ainsi, les chatons n'auront pas froid la nuit.

Every day the children go to the cowshed to look at Mozart and Chopin. The kittens have become very inquisitive. They play in every corner of the cowshed. That's dangerous. If they do not watch out a cow may crush them or they may hurt themselves. That is why Dad said, "Make a cage for the kittens." Didier and Anne begin to work. They need planks, nails and tools. The planks are behind the house. Didier goes to look for them. How heavy they are! The boy is sweating. He is tired. He sits down for a moment. Anne waits for him. Together they make a cage for the kittens. It is difficult work. When the cage is ready, Didier covers it with a pullover. In this way, the kittens do not get cold during the night.

Vocabulaire - Vocabulary

étable (f.)	cowshed
coin (m.)	corner
devenir	to become
curieux	inquisitive
dangereux	dangerous
faire attention	to watch out
vache (f.)	cow
écraser	to crush
se blesser	to hurt oneself
cage (f.)	cage
commencer	to begin
travailler	to work
avoir besoin de	to need
planche (f.)	plank
clou (m.)	nail
outil (m.)	tool
derrière	behind
chercher	to look for
lourd	heavy
transpirer	to sweat
fatigué	tired
s'asseoir	to sit down
ensemble	together
travail	work
difficile	difficult
couvrir	to cover
ainsi	in this way
nuit (f.)	night
*scier**	to saw*
*clouer**	to nail*

Didier connaît déjà la vie à la ferme. Chaque matin son oncle va très tôt à l'étable. Tous les animaux ont leur place. Ils peuvent dormir là quand ils le veulent. Oncle Marc met la nourriture des vaches dans leur mangeoire. Puis, il trait les vaches. Il met le lait dans un grand bidon. Il vend le lait à l'usine. Avec l'argent il achète de la nourriture pour les animaux. Tante Hélène ramasse les œufs des poules. Elle les met dans un panier. Elle aussi, elle vend les œufs. Quand Didier est arrivé, Anne lui a dit pour rire: "Quand une poule a pondu un œuf, maman le prend vite. Quand la poule se retourne, elle ne voit plus son œuf. Alors elle pense qu'elle s'est trompée et elle pond vite un nouvel œuf."

Didier is already familiar with life on the farm. Each morning, his Uncle goes to the cowshed very early. All the animals have their own place. They can sleep there when they want to. Uncle Mark puts the cow's food into their manger. Then he milks the cows. He puts the milk into a large churn. He sells the milk to the factory. With the money he buys food for the animals. Aunt Helen collects the hen's eggs. She puts them in a basket. She also sells the eggs.
When Didier arrived, Anne said, as a joke, "When a hen has laid an egg, Mum takes it quickly. When the hen returns, she doesn't see her egg. So she thinks she was mistaken and quickly lays a new egg."

Vocabulaire - Vocabulary

connaître	to be familiar with
vie (f.)	life
matin (m.)	morning
tôt	early
pouvoir	can
quand	when
vouloir	to want
nourriture (f.)	food
mangeoire (f.)	manger
traire une vache	to milk a cow
bidon (m.)	churn
vendre	to sell
usine (f.)	factory
argent (m.)	money
acheter	to buy
ramasser	to collect
œuf (m.)	egg
poule (f.)	hen
panier (m.)	basket
arriver	to arrive
pondre un œuf	to lay an egg
prendre	to take
se retourner	to return
voir	to see
alors	so
se tromper	to be mistaken
nouvel	new
coq (m.) *	cock*

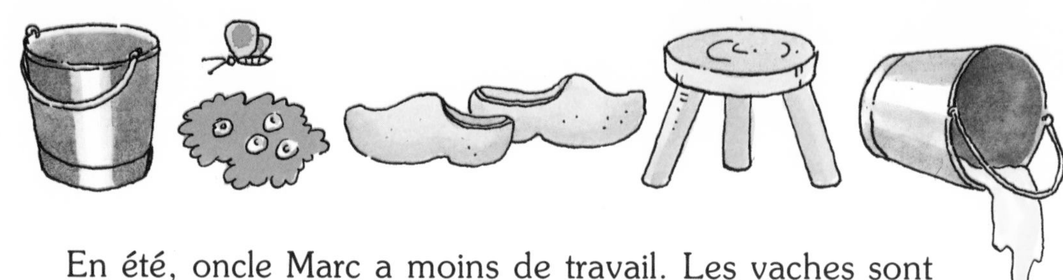

En été, oncle Marc a moins de travail. Les vaches sont dans les prés. Elles mangent de l'herbe et elles boivent au ruisseau. Oncle Marc leur donne seulement des vitamines. Les vaches en ont besoin pour rester en bonne santé. Une vache qui est en bonne santé donne beaucoup de lait. C'est très important.
Quand oncle Marc veut traire les vaches, il appelle Sammy, le chien. Sammy court autour des vaches et aboie. C'est un signal. Alors les vaches se rassemblent. Sammy fait très bien son travail. Quand une vache s'éloigne trop, le chien court vers elle. Il aboie: "Tu n'entends pas! Vite! Va te faire traire." Oncle Marc est très fier de Sammy. Il dit toujours: "Ce chien est plus intelligent que dix enfants."

In the summer, Uncle Mark has less work. The cows are in the meadows. They eat grass and drink from the stream. Uncle Mark only gives them vitamins. The cows need these to stay healthy. A healthy cow gives a lot of milk. That is very important.

When Uncle Mark wants to milk the cows, he calls Sammy the dog. Sammy runs around the cows and barks. That is a signal. Then the cows start to assemble. Sammy does his work very well. When a cow goes too far away, the dog runs towards it. He barks, "You're not listening! Quickly! Go and be milked." Uncle Mark is very proud of Sammy. He is always saying, "This dog is more intelligent than ten children."

Vocabulaire - Vocabulary

été (m.)	summer
moins de	less
travail (m.)	work
vache (f.)	cow
pré (m.)	meadow
herbe (f.)	grass
boire	to drink
ruisseau (m.)	stream
seulement	only
avoir besoin de	to need
rester	to stay
en bonne santé	healthy
beaucoup de	a lot of
important	important
traire	to milk
appeler	to call
autour de	around
aboyer	to bark
signal (m.)	signal
alors	then
se rassembler	to assemble
s'éloigner	to go far away
entendre	to listen
vite	quickly
fier	proud
plus intelligent que	more intelligent than
enfant (m.)	children
*seau (m.)**	bucket*
*ventre (m.)**	stomach*

Il pleut dehors. Anne s'ennuie. Elle soupire: "Quelle journée ennuyeuse." Maman dit: "Pourquoi ne fais-tu pas des crêpes?" Anne répond: "Je ne sais pas comment faire des crêpes." "Moi, je sais," dit Didier. "Nous avons besoin de deux cent cinquante grammes de farine, de sucre, de beurre, de deux œufs et d'un demi-litre de lait." Anne s'est déjà levée. Didier lui explique comment on fait des crêpes. On met la farine dans un plat. On ajoute un peu de sel et le sucre. Au milieu, on met un peu de beurre et les œufs battus. Puis on ajoute le lait. Mélanger, battre et la pâte est prête. Puis, il ne reste plus qu'à cuire les crêpes. Anne et Didier font seize crêpes. Elles sont excellentes. Elles sont même un peu meilleures que les crêpes de maman!

It is raining outside. Anne is bored. She sighs, "What a boring day." Mum says, "Why don't you make some pancakes?" Anne replies, "I don't know how to make pancakes." "I know," says Didier. "We need two hundred and fifty grammes of flour, some sugar, butter, two eggs and half a litre of milk." Anne has already got up. Didier explains to her how to make pancakes. You put the flour into a bowl. You add a little salt and the sugar. A little butter and the beaten eggs go in the middle. Then add milk. Mix, beat and the batter is ready. Then you have only to cook the pancakes. Anne and Didier make sixteen pancakes. They are excellent. They are even slightly better than Mum's pancakes.

Vocabulaire - Vocabulary

pleuvoir	to rain
dehors	outside
s'ennuyer	to be bored
soupirer	to sigh
crêpe (f.)	pancake
répondre	to reply
comment	how
avoir besoin de	to need
deux cents	two hundred
cinquante	fifty
farine	flour
se lever	to get up
expliquer	to explain
mettre	to put
plat (m.)	bowl
un peu	a little
ajouter	to add
sel (m.)	salt
au milieu	in the middle
battu	beaten
battre	to beat
puis	then
mélanger	to mix
pâte (f.)	batter
prêt	ready
cuire	to cook
seize	sixteen
même	even
un peu	slightly
*recette (f.)**	recipe*

Un petit oiseau est tombé sous un arbre. C'est encore un animal très jeune. Il essaie de voler, mais il ne réussit pas. Chaque fois, il retombe par terre. Didier le regarde. "Regarde, Anne," dit-il, "c'est certainement un oiseau blessé." Sa cousine répond: "S'il ne peut pas voler, Sophie va le manger." Anne est un enfant de la campagne. Elle accepte la mort d'un animal. Mais Didier est bouleversé. "Comment peux-tu être si cruelle?" Il ramasse vite la petite boule de plumes. Il la ramène à la maison et la met dans une vieille boîte à chaussures. L'oiseau pépie. "Il a faim," pense Didier. Mais qu'est-ce qu'un jeune oiseau mange? Il ne peut pas encore manger des insectes. Didier lui donne un peu de jaune d'œuf. Que l'oiseau est heureux!

A small bird has fallen under a tree. It is still a very young animal. It tries to fly but does not succeed. Each time it falls down to the ground again.
Didier looks at it. "Look Anne," he says, "it's definitely an injured bird."
His cousin replies, "If it can't fly, Sophie will eat it." Anne is a country girl. She accepts the death of an animal. But Didier is shocked, "How can you be so cruel?" He quickly picks up the small bundle of feathers. He takes it back to the house and puts it in an old shoe box. The bird cheeps. "It's hungry," thinks Didier. But what does a young bird eat? It can't eat insects yet. Didier gives it some egg yolk. How happy the bird is!

Vocabulaire - Vocabulary

oiseau (m.)	bird
tomber	to fall
sous	under
jeune	young
essayer	to try
voler	to fly
réussir	to succeed
chaque fois	each time
retomber par terre	to fall to the ground
certainement	definitely
blessé	injured
campagne (f.)	country
accepter	to accept
mort (f.)	death
être bouleversé	to be shocked
cruel	cruel
ramasser	to pick up
boule de plumes (f.)	bundle of feathers
ramener	to take back
mettre dans	to put in
vieille	old
boîte à chaussures (f.)	shoe box
pépier	to cheep
jaune d'œuf (m.)	egg yolk
heureux	happy
*soigner**	to look after*

Le temps passe. L'oiseau que Didier a ramassé devient grand et fort. Didier l'appelle Chiri. Chiri vit dans la chambre de Didier. C'est un animal malicieux. Quand Didier lit un livre, il picote les feuilles. Il a ausi picoté la belle photo du chien. Il n'est plus possible de garder Chiri. Didier doit lui rendre sa liberté. Un beau matin d'août, Didier ouvre la fenêtre. Chiri hésite sur le rebord. Puis, tout à coup, il s'envole. Didier est triste.
Ce soir-là, Didier rêve dans sa chambre. La fenêtre est ouverte. Tout à coup, Chiri est là, sur le rebord. Il est revenu. Comme Didier est heureux maintenant!
Depuis ce jour-là , la fenêtre de sa chambre est toujours ouverte et Chiri revient souvent.

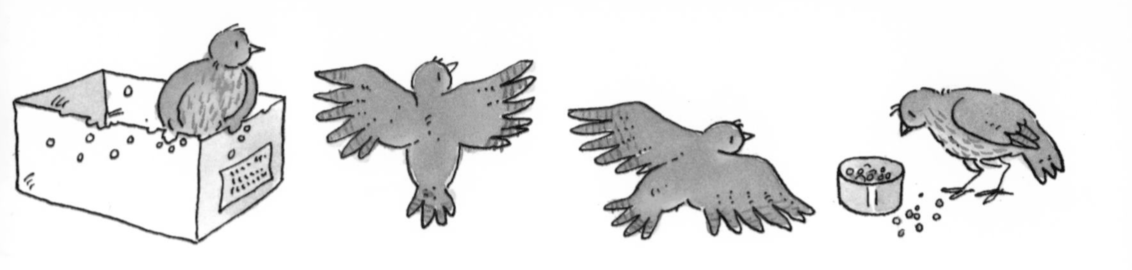

Time goes by. The bird that Didier picked up becomes big and strong. Didier calls him Chiri. Chiri lives in Didier's room. He is a mischievous animal. When Didier reads a book he pecks the pages. He has also pecked the lovely picture of the dog. It is no longer possible to keep Chiri. Didier must give him back his freedom. One beautiful August morning Didier opens the window. Chiri hesitates on the windowsill. Then suddenly he flies away. Didier is sad. That evening, Didier is daydreaming in his room. The window is open. Suddenly, Chiri is there on the windowsill. He has returned. How happy Didier is now!
Since that day, his bedroom window is always open and Chiri often returns.

Vocabulaire - Vocabulary

temps (m.)	time	*liberté (f.)*	freedom
passer	to go by	*août*	August
ramasser	to pick up	*ouvrir*	to open
devenir	to become	*fenêtre (f.)*	window
fort	strong	*hésiter*	hesitate
vivre	to live	*rebord (m.)*	windowsill
malicieux	mischievous	*puis*	then
lire	to read	*tout à coup*	suddenly
livre (m.)	book	*s'envoler*	to fly away
picoter	to peck	*rêver*	to daydream
feuille (f.)	page	*ouvert*	open
aussi	also	*revenir*	to come back
possible	possible	*depuis*	since
garder	to keep	*ce jour-là*	that day
rendre	to give back	*souvent*	often

"Comme il fait bon ici!" Maman se retourne sur sa serviette. C'est un beau dimanche, à la fin de l'été. Le soleil luit. Papa, maman, Anne et Didier sont à la mer. Ils ont apporté un pique-nique. Ils mangent tous des bonnes choses. Soudain papa constate: "Hé, il y a des pédalos à louer là-bas. Venez les enfants, nous allons regarder cela de plus près." Didier demande: "Nous pouvons faire du pédalo?" Son oncle le regarde. L'enfant maigre est devenu un garçon costaud. Papa comprend que Didier veut montrer sa force. "Bien sûr," dit-il, "mais n'allez pas trop loin". Didier et Anne sont fous de joie. Un pédalo est vite choisi. Les voilà partis. Papa crie encore: "Vous devez être rentrés dans une heure." Crois-tu qu'Anne et Didier l'ont entendu?

"How nice it is here!" Mum comes back to her towel. It is a beautiful Sunday at the end of summer. The sun is shining. Dad, Mum, Anne and Didier are at the seaside. They have brought a picnic. They are all eating good things. Suddenly, Dad notices, "Hey, there are pedalos for hire there. Come on children, we'll go and look more closely." Didier asks, "Can we go in a pedalo?" His Uncle looks at him. The thin child has become a strong boy. Dad realises that Didier wants to show his strength. "Of course," he says, "but don't go too far." Didier and Anne are beside themselves with joy. A pedalo is quickly chosen. Then they are off. Dad shouts again, "You must be back in an hour!" Do you think that Didier and Anne heard him?

Vocabulaire - Vocabulary

se retourner	to come back
serviette (f.)	towel
dimanche (m.)	Sunday
fin (f.)	end
luire	to shine
mer (f.)	the seaside
apporter	to bring
tous	all
chose (f.)	thing
soudain	suddenly
constater	to notice
louer	to hire
pédalo (m.)	pedalo
là-bas	there
venir	to come
regarder de près	to look closely
devenir	to become
costaud	strong
comprendre	to realise
montrer	to show
force (f.)	strength
bien sûr	of course
loin	far
fou de joie	beside oneself with joy
choisir	to choose
crier	to shout
croire	to think
entendre	to hear

Une heure plus tard, papa attend les enfants sur la plage. Ils ne sont pas revenus. Papa s'inquiète. Enfin, il les voit revenir. Ils font marche arrière. Ils n'avancent vraiment pas vite de cette manière. Quand les enfants arrivent, papa est fâché et crie: "Mais pourquoi diable faites-vous marche arrière?" Fatiguée, Anne lui dit: "Nous ne savions pas comment il faut tourner en pédalo." Alors la colère de papa disparaît. Il aide Didier à sortir le pédalo de l'eau. Didier est encore en pleine forme. Papa le regarde. Ce garçon est encore plus fort qu'il le pensait. Il est en excellente santé. Cela veut dire que Didier va bientôt retourner à la maison. C'est dommage. Papa, maman et Anne vont regretter leur jeune ami.

An hour later, Dad is waiting for the children on the beach. They have not returned. Dad is worried. At last he sees them coming back. They are going backwards. They are certainly not making much progress like that. When the children arrive Dad is angry and shouts, "But why on earth did you go backwards?" Tiredly, Anne says, "We didn't know how to turn a pedalo." Then Dad's anger disappears. He helps Didier to bring the pedalo out of the water. Didier is still in good shape. Dad looks at him. This boy is stronger than he thinks. He is in excellent health. This means that Didier will return home soon.
It's a pity. Dad, Mum and Anne will miss their young friend.

Vocabulaire - Vocabulary

plage (f.)	beach
revenir	to return
s'inquiéter	to be worried
enfin	at last
faire marche arrière	to go backwards
avancer	to make progress
de cette manière	like that
fâché	angry
pourquoi diable	why on earth
savoir	to know
tourner	to turn
colère (f.)	anger
disparaître	to disappear
aider	to help
sortir de l'eau	to bring out of the water
en pleine forme	in good shape
santé (f.)	health
cela veut dire	that means
bientôt	soon
dommage	pity
regretter	to miss
bronzer *	to sunbathe *
nager *	to swim *
château de sable (m.) *	sandcastle *

Questions on the text

The questions which follow will show whether you have understood the text and all the new words introduced. You will find the page numbers to which each set of questions relates at the top of each section.
Some new words also appear in this part of the book and are written in italics. You will find their meaning in the appropriate vocabulary sections, marked with an asterisk (*).

Questions sur les textes

Avec les questions qui suivent, tu peux contrôler si tu as bien compris les textes et les nouveaux mots. Au-dessus des questions, tu trouveras les numéros des pages auxquelles elles se rapportent.
De nouveaux mots apparaissent aussi dans cette partie du livre. Ils sont écrits en italique (lettres penchées). Tu trouveras leur signification dans la liste de mots du texte concerné. Ils sont marqués par un astérisque (*).

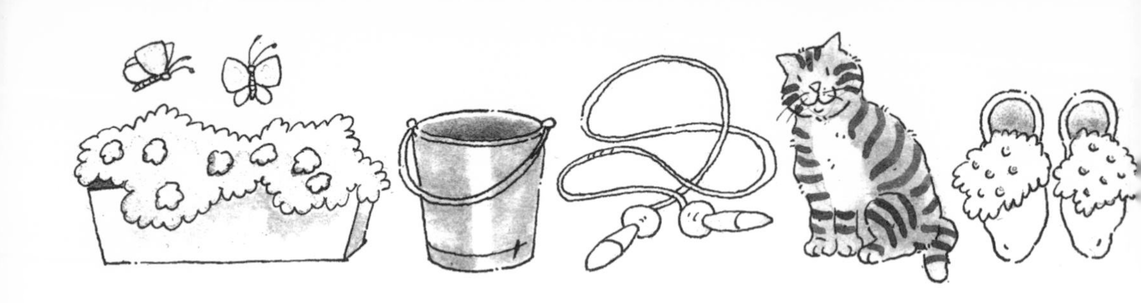

p. 6-7

1. Pourquoi Anne regarde-t-elle la route avec impatience?
2. Qui attend aussi l'arrivée de Didier? (Regarde le dessin).
3. Anne pense que cela doit être amusant d'avoir un ami qui vit dans la même maison. Es-tu d'accord avec elle? Pourquoi (pas)? Qu'est-ce que tu fais quand ton (ta) meilleur(e) ami(e) vient loger chez toi?
4. Comment papa *annonce*-t-il qu'ils sont arrivés?
5. Comment peux-tu voir qu'Anne vit dans une ferme?
6. Pourquoi les gens qui vivent dans une ferme ont-ils *souvent* un chat?

1. Why is Anne watching the road impatiently?
2. Who is also waiting for Didier to arrive? (Look at the picture)
3. Anne thinks it will be fun to have a friend living in the same house. Do you agree with her? Why (not)?
   What do you do when your best friend comes to stay with you?
4. How does Dad *announce* that they have arrived?
5. How can you tell that Anne lives on a farm?
6. Why do people who live on a farm *often* have a cat?

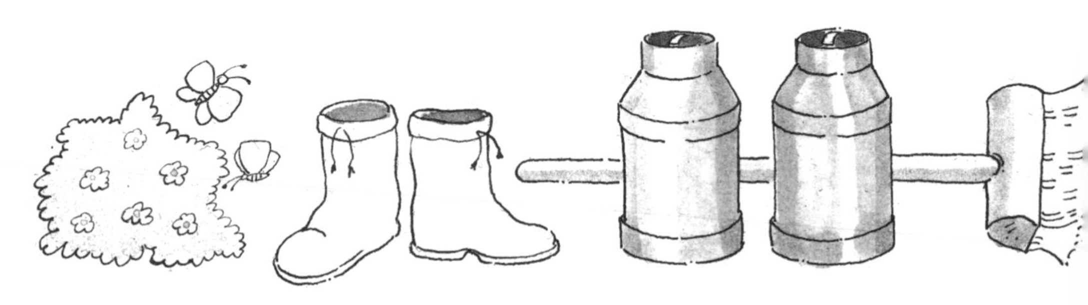

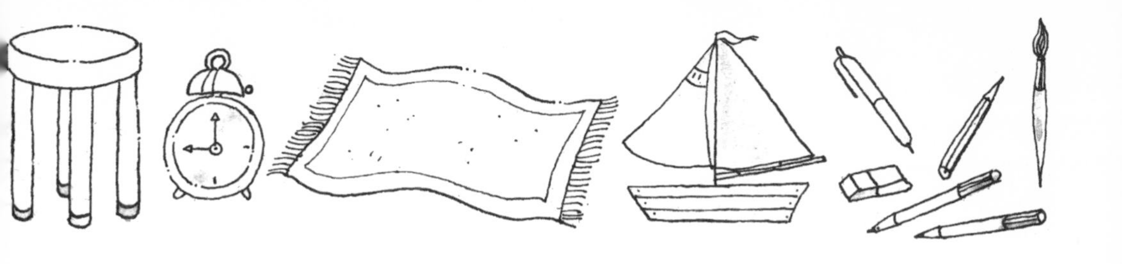

p. 8-9

1. Est-ce que Didier ressemble au garçon qu'Anne attend? Pourquoi (pas)?
2. Est-ce que Didier *se sent à l'aise* quand il arrive chez sa cousine? Comment le vois-tu?
3. Anne et sa mère ont préparé une belle chambre pour Didier. Décris-la.
4. Est-ce que Didier aime cette chambre?
5. Anne pose mille et une questions à Didier. Imagine ce qu'elle peut lui demander.
6. *Invente* aussi les réponses de Didier.
7. Est-ce que Didier est content qu'Anne lui pose *tant de* questions?

1. Does Didier look like the boy who Anne was expecting? Why (not)?
2. Does Didier *feel at ease* when he arrives at his cousin's house? How can you tell that?
3. Anne and her mother have prepared a lovely room for Didier. Describe it.
4. Does Didier like this room?
5. Anne asks Didier a thousand and one questions. Imagine what she may ask him.
6. *Make up* Didier's replies.
7. Is Didier happy for Anne to ask him *so many* questions?

p. 10-11

1. Quand est-ce qu'Anne se réveille?
2. Qui est-ce qui prépare le petit déjeuner?
3. Qu'est-ce qui se trouve sur la table? Combien de tartines vois-tu sur les dessins?
4. Qu'est-ce qu'Anne mange? Et toi? Qu'est-ce que tu prends au petit déjeuner?
5. Qu'est-ce qu'Anne pense quand elle entend que Didier dort encore?
6. Pourquoi Didier dort-il encore?
7. Explique pourquoi Didier est un garçon courageux.
8. Anne promet d'être gentille avec Didier. Qu'est-ce qu'elle doit faire? Peux-tu lui donner quelques *conseils*?

1. When does Anne wake up?
2. Who makes breakfast?
3. What is on the table? How many slices of bread are in the pictures?
4. What does Anne eat? And you? What do you have for breakfast?
5. What does Anne think when she hears that Didier is still asleep?
6. Why is Didier still asleep?
7. Explain why Didier is a brave boy.
8. Anne promises to be nice to Didier. What should she do? Can you give her some *advice*?

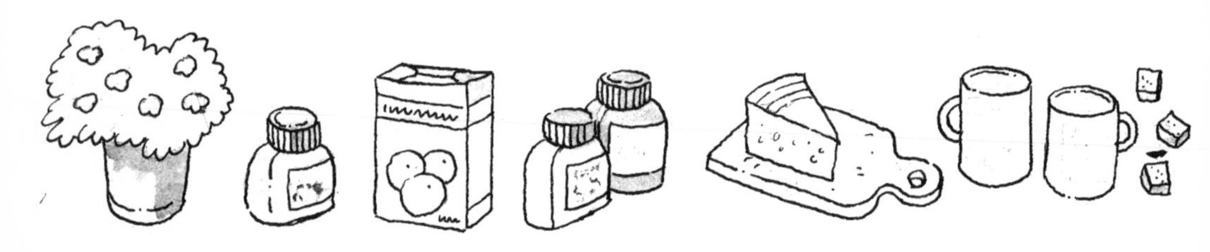

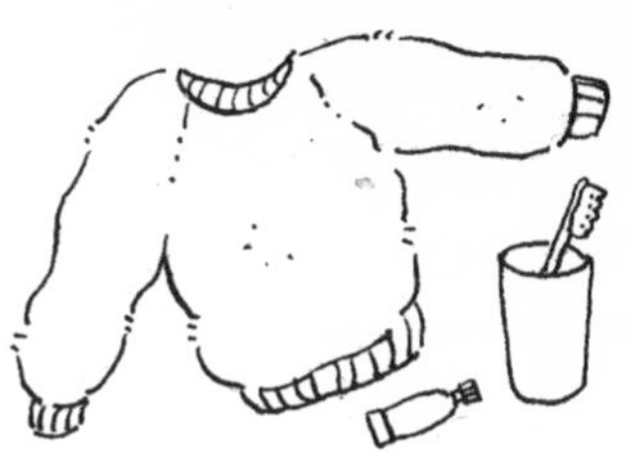

p. 12-13

1. A quelle heure est-ce que Didier se réveille?
2. Quand Didier se réveille, il est surpris et aussi un peu triste. Explique pourquoi.
3. Heureusement, il y a un chien dans la chambre de Didier. Où se trouve-t-il?
4. Comment vois-tu que Didier ne s'est pas encore *installé dans* sa nouvelle chambre?
5. Explique quelle est la différence entre le petit déjeuner que Didier prend à la maison et le petit déjeuner que tante Hélène a préparé pour lui. Est-ce qu'il est important de prendre un bon petit déjeuner? Pourquoi?

1. What time does Didier wake up?
2. When Didier wakes up, he is surprised and also a little sad. Explain why.
3. Luckily there is a dog in Didier's room. Where is it?
4. How can you tell that Didier has not yet *settled into* his new room?
5. Explain the difference between Didier's breakfast at home and the breakfast which Aunt Helen has made for him.
   Is it important to have a good breakfast? Why?

p. 14-15

1. Qu'est-ce que Didier va faire après le petit déjeuner?
2. Pourquoi Anne danse-t-elle quand elle entre dans la cuisine?
3. Comment peut-on encore voir qu'elle est très heureuse?
4. Qui est encore dans la cuisine?
5. Est-il vrai que Didier a déjà vu beaucoup de chatons?
6. Où se trouvent les chatons?
7. Pourquoi les enfants décident-ils d'appeler les chatons Chopin et Mozart?
8. Qui est-ce qui *s'intéresse* aussi aux chatons? (Regarde le dessin).

1. What is Didier going to do after breakfast?
2. Why is Anne dancing as she comes into the kitchen?
3. What shows you that she is very happy?
4. Who is also in the kitchen?
5. Is it true that Didier has already seen a lot of kittens?
6. Where are the kittens?
7. Why do the children decide to call the kittens Chopin and Mozart?
8. Who else is *interested* in the kittens? (Look at the picture)

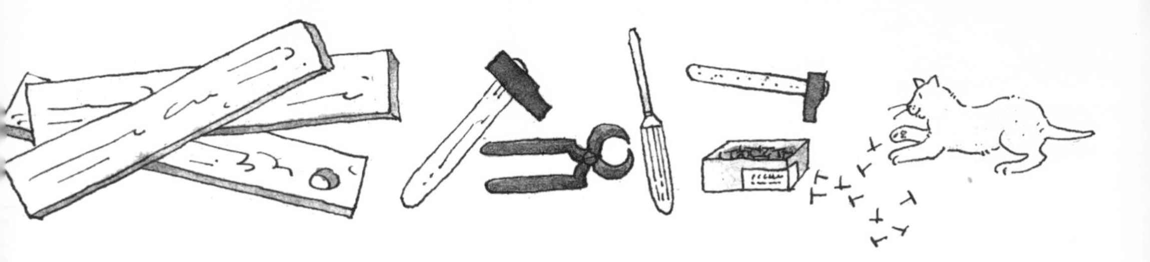

p. 16-17

1. Est-ce que Chopin et Mozart sont des chatons prudents? A quoi s'amusent-ils?
2. Pourquoi les enfants font-ils une cage pour les chatons?
3. Quand Didier revient avec les planches, il doit s'asseoir un moment. Pourquoi?
4. Peux-tu décrire comment on fait une cage? Voici quelques éléments pour t'aider:
   - *scier* les planches sur mesure;
   - dessiner un plan;
   - choisir les planches;
   - *clouer* les planches.

1. Are Chopin and Mozart wise kittens? What do they enjoy doing?
2. Why do the children make a cage for the kittens?
3. When Didier comes back with the planks he has to sit down for a moment. Why?
4. Can you describe how to make a cage? Here are some ideas to help you:
   - *to saw* planks to size;
   - to draw up a plan;
   - to choose the planks;
   - *to nail* the planks.

p. 18-19

1. Qu'est-ce qu'oncle Marc fait chaque jour?
2. Pourquoi oncle Marc vend-il le lait à l'usine?
3. Où est-ce qu'oncle Marc garde le lait?
4. Qu'est-ce que tante Hélène fait chaque jour?
5. Pourquoi tante Hélène vend-elle les œufs?
6. Penses-tu que la petite histoire qu'Anne raconte est vraie?
7. Combien d'œufs vois-tu sur les dessins?
   Compte-les à haute voix.
8. Sur les dessins tu vois plusieurs poules et un *coq*. Où est-ce que le coq se trouve? Un coq ne pond pas d'œufs. Qu'est-ce qu'il fait?

1. What does Uncle Mark do each day?
2. Why does Uncle Mark sell the milk to the factory?
3. Where does Uncle Mark keep the milk?
4. What does Aunt Helen do every day?
5. Why does Aunt Helen sell the eggs?
6. Do you think that the tale told by Anne is true?
7. How many eggs can you see in the pictures? Count them
   out loud.
8. You will see several hens and a *cock* in the pictures.
   Where is the cock? A cock does not lay eggs. What is he doing?

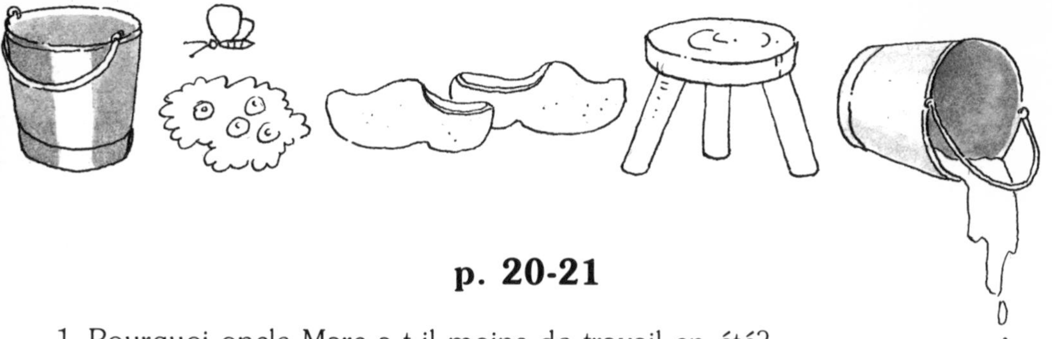

p. 20-21

1. Pourquoi oncle Marc a-t-il moins de travail en été?
2. Est-ce que tante Hélène a aussi moins de travail?
3. Pourquoi les vaches ont-elles besoin de vitamines?
4. Qui est Sammy? Qu'est-ce que Sammy doit faire?
5. Oncle Marc dit que Sammy est plus intelligent que dix enfants. Pourquoi dit-il cela? Es-tu d'accord?
6. Comment oncle Marc trait-il la vache?
   Voici quelques éléments; classe-les dans l'ordre exact.
   Mettre le *seau* sous le *ventre* de la vache, s'asseoir sur la petite chaise, prendre une petite chaise et un seau, traire.

1. Why does Uncle Mark have less work in summer?
2. Does Aunt Helen also have less work?
3. Why do the cows need vitamins?
4. Who is Sammy? What does Sammy have to do?
5. Uncle Mark says Sammy is more intelligent than ten children. Why does he say that? Do you agree?
6. How does Uncle Mark milk the cow? Here are some of the steps. Put them in the right order.
   - to put the *bucket* under the cow's *stomach*, to sit down on the small chair, to take a small chair and a bucket, to milk.

p. 22-23

1. Pour faire des crêpes on a besoin de:
   .... de farine
   .... de sucre
   .... de beurre
   .... de lait
   .... œufs.
2. Pourquoi les enfants trouvent-ils que leurs crêpes sont un peu meilleures que celles de maman?
3. Qu'est-ce que tu peux faire quand il pleut dehors?
4. Est-ce que tu as déjà fait des crêpes? Et est-ce que tu as déjà préparé autre chose? Peux-tu en donner la *recette?*

1. To make pancakes, you need:
   .... flour
   .... sugar
   .... butter
   .... milk
   .... eggs
2. Why do the children find their pancakes even slightly better than mothers?
3. What can you do when it is raining outside?
4. Have you ever made pancakes? Have you ever made anything else? Can you give the *recipe* for it?

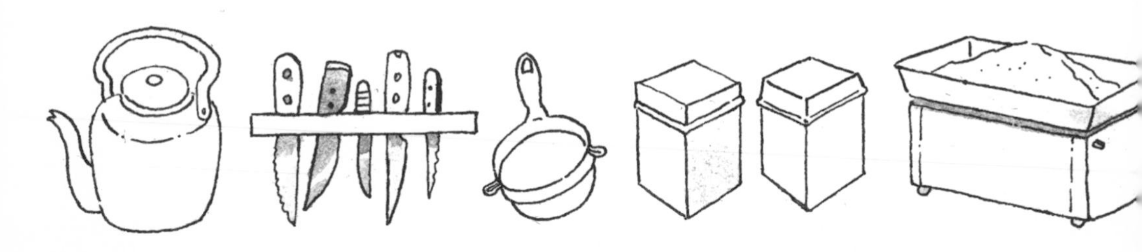

p. 24-25

1. Pourquoi Didier trouve-t-il que sa cousine est cruelle?
2. Sais-tu ce que les oiseaux mangent?
   En hiver, quand il fait froid, les oiseaux ne trouvent pas beaucoup à manger. Qu'est-ce qu'on peut leur donner alors?
3. Comment vois-tu sur le dessin que la vie du petit oiseau est en danger?
4 As-tu dèjà *soigné* un animal malade? (un chien, un chat, un poisson, un oiseau). Quand?
   Comment l'as-tu soigné?

1. Why does Didier find his cousin cruel?
2. Do you know what birds eat?
   In winter, when it is cold, the birds don't find much to eat.
   What can you give them then?
3. How can you tell from the picture that the bird's life is in danger?
4. Have you ever *looked after* a sick animal? (dog, cat, fish, bird).
   When? How did you look after it?

p. 26-27

1. Comment Didier a-t-il appelé l'oiseau?
   Trouves-tu que c'est un bon nom pour un oiseau?
2. Est-il vrai que Chiri est un oiseau malicieux?
   Qu'est-ce qu'il fait? Montre-le sur les dessins.
3. Décris le départ de Chiri.
4. Pourquoi Didier panique-t-il tout à coup?
5. Quand Chiri revient-il pour la première fois?
6. Pourquoi Didier laisse-t-il toujours la fenêtre ouverte?
7. Est-ce que Chiri peut oublier Didier?
8. Un animal est toujours plus heureux dans la nature.
   Es-tu d'accord? Pourquoi (pas)?

1. What did Didier call the bird?
   Do you think it is a good name for a bird?
2. Is it true that Chiri is a mischievous bird?
   What does he do? Point this out in the pictures.
3. Describe Chiri's departure.
4. Why does Didier suddenly panic?
5. When does Chiri come back for the first time?
6. Why does Didier always leave the window open?
7. Can Chiri forget Didier?
8. An animal is always happier in the wild. Do you agree?
   Why (not)?

p. 28-29

1. Où est-ce qu'Anne et Didier se trouvent?
2. Papa a apporté un pique-nique. Peux-tu dire ce qu'il y a sur l'image?
3. Aimes-tu les pique-niques?
4. Qu'est-ce que papa veut regarder de plus près?
5. Didier est-il toujours un enfant maigre?
   Qu'est-ce qu'il est devenu?
   Pourquoi a-t-il envie de mesurer sa force?
6. Est-il vrai qu'Anne et Didier ont beaucoup de difficultés à choisir un pédalo?
7. Après combien de temps doivent-ils retourner à la plage?

1. Where are Anne and Didier?
2. Dad has brought a picnic. Can you say what is on the plate.
3. Do you like picnics?
4. What does Dad want to look at more closely?
5. Is Didier still a thin child? What has he become? Why does he want to test his strength?
6. Is it true that Anne and Didier had a lot of difficulty in choosing a pedalo?
7. After how long must they come back to the beach?

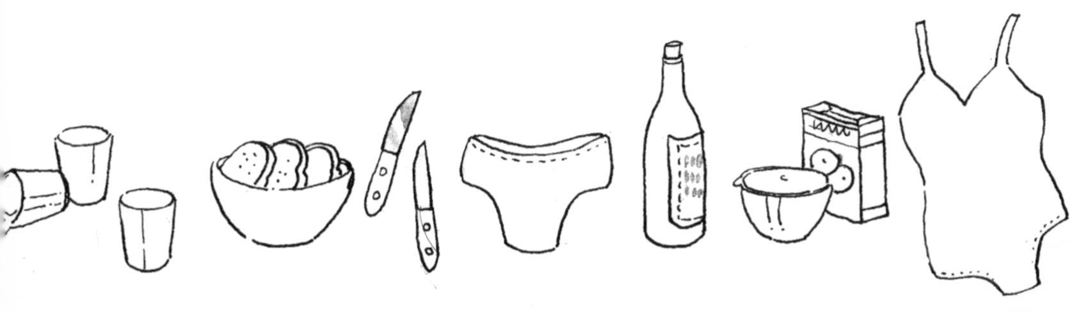

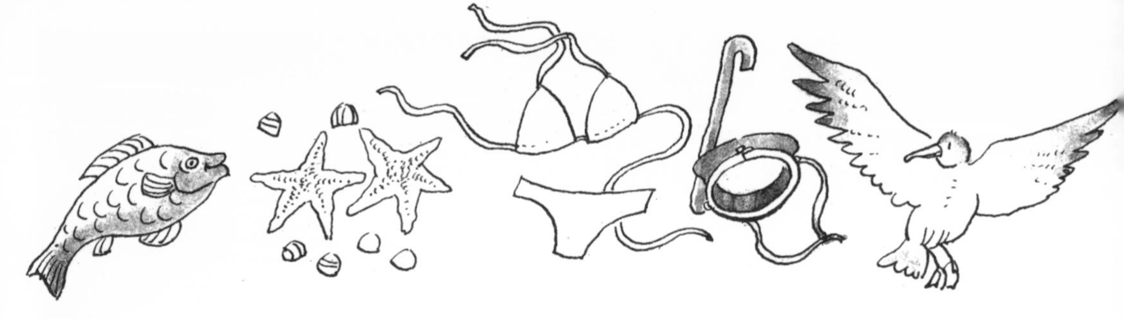

p. 30-31

1. Pourquoi papa est-il inquiet?
2. Pourquoi les enfants sont-ils en retard?
3. Est-ce que papa reste longtemps fâché?
4. Qui est fatigué?
5. Explique comment Didier est devenu un garçon fort.
6. Didier va rentrer à la maison. Pourquoi papa trouve-t-il que c'est une idée triste?
7. Anne et Didier ne sont pas seuls dans l'eau. Qui se trouve encore dans l'eau?
8. Qu'est-ce que tu aimes quand tu es à la plage? Te faire *bronzer*, *nager*, faire des *châteaux de sable*, jouer au ballon,...

1. Why is Dad worried?
2. Why are the children late?
3. Does Dad stay angry for a long time?
4. Who is tired?
5. Explain how Didier has become a very strong boy.
6. Didier will be going back home. Why does Dad find this a sad thought?
7. Anne and Didier are not alone in the water. Who else is in the water?
8. What do you like to do when you are on the beach? *Sunbathe*, *swim*, *make sandcastles*, play ball...